Dziecięca klasyka

Władysław Bełza, Maria Konopnicka, Ignacy Krasicki,
Józef Ignacy Kraszewski, Adam Mickiewicz

WIERSZE DLA DZIECI

Przyjaciele, Żabka Helusi, Małpka i inne...

ilustracje:
Agnieszka Kamińska

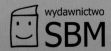

wydawnictwo
SBM

Spis treści

Lew i zwierzęta

Ignacy Krasicki

Gdy się wszystkie zwierzęta u lwa znajdowały,
Był dyskurs: jaki przymiot w zwierzu doskonały.
Słoń roztropność zachwalał, żubr mienił powagę,
Wielbłądy wstrzemięźliwość, lamparty odwagę;
Niedźwiedź moc znamienitą, koń ozdobną postać,
Wilk staranie przemyślne, jak zdobyczy dostać,
Sarna kształtną subtelność, jeleń piękne rogi,
Ryś odzienie wytworne, zając rącze nogi;
Pies wierność, liszka umysł w fortele obfity,
Baran łagodność, osieł żywot pracowity.
Rzekł lew, gdy się go wszyscy o zdanie pytali:
„Według mnie ten najlepszy, co się najmniej chwali".

4

Ignacy Krasicki

Rybka mała i szczupak

Widząc w wodzie robaka rybka jedna mała,
Że go połknąć nie mogła, wielce żałowała.
Nadszedł szczupak, robak się przed nim nie osiedział:
Połknął go, a z nim haczyk, o którym nie wiedział.
Gdy rybak na brzeg ciągnął korzyść okazałą,
Rzekła rybka: „Dobrze to czasem być i małą".

Ignacy Krasicki

Żółw i mysz

Że zamknięty w skorupie niewygodnie siedział,
Żałowała mysz żółwia; żółw jej odpowiedział:
„Miej ty sobie pałace, ja mój domek ciasny.
Prawda, nie jest wspaniały, szczupły, ale własny".

Gęsi

Ignacy Krasicki

Gęsi, iż Rzym uwolniły,
Wielbione były.
A że się to i w nocy, i krzyczeniem działo,
Ujęte chwałą,
Szły na radę i stanęło,
Aby zacząć nowe dzieło:
W krzyczeniu się nie szczędzić,
Lisy z lasu wypędzić.
Więc wspaniałe a żwawe
Poszły w nocy i wrzawę
W lesie zrobiły,
Lisy zbudziły:
A te, gdy z jam wypadły,
Zgryzły gęsi i zjadły.

Maria Konopnicka

Dziadek przyjdzie

Dziadek dzisiaj przyjdzie,
W wielkim krześle siędzie,
Śliczne mi powieści
Opowiadać będzie.

Pal mi się, ogieńku! Pal mi się wesoło!
Wy, złote iskierki, sypcie mi się wkoło!

Dziadek dużo widział,
Dużo ziemi schodził;
Już sam nie pamięta,
Kiedy się urodził.

Pal mi się, ogieńku! Pal mi się wesoło!
Wy, złote iskierki, sypcie mi się wkoło!

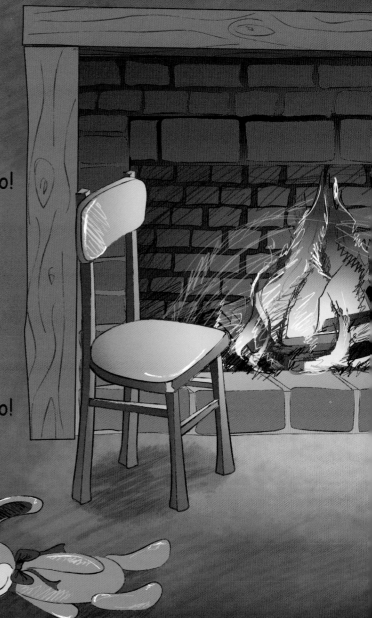

8

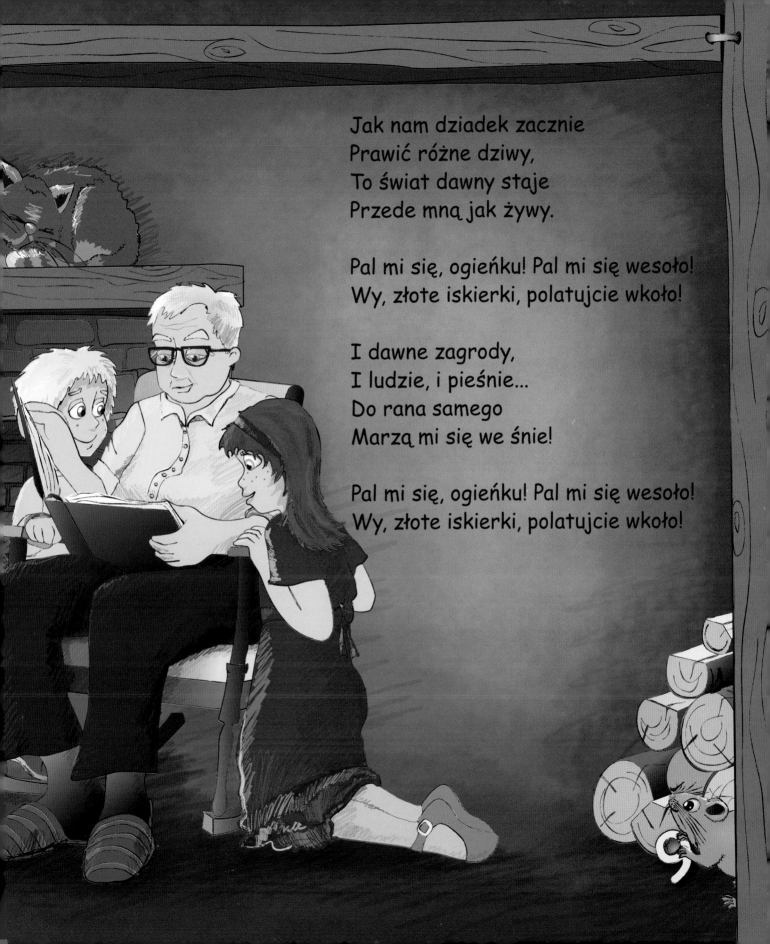

Jak nam dziadek zacznie
Prawić różne dziwy,
To świat dawny staje
Przede mną jak żywy.

Pal mi się, ogieńku! Pal mi się wesoło!
Wy, złote iskierki, polatujcie wkoło!

I dawne zagrody,
I ludzie, i pieśnie...
Do rana samego
Marzą mi się we śnie!

Pal mi się, ogieńku! Pal mi się wesoło!
Wy, złote iskierki, polatujcie wkoło!

Jasio śpioszek

Maria Konopnicka

Chcecie pewno wiedzieć wszyscy,
Jak się chłopczyk ten nazywa,
Co w ogródku sobie siedzi
I na trąbce swej przygrywa?
Jest to Jasio „Ranny Ptaszek",
Wielki mamy swej pieszczoszek,
Co aż dotąd się nazywał
W całym domu: „Jasio Śpioszek".
„Jasio Śpioszek", drogie dziatki,
Nieszczęśliwy był chłopczyna,
Bo zobaczyć nigdy nie mógł,
Jak się dzionek rozpoczyna.

Ledwo ziewnie raz i drugi,
Ledwo przetrze jedno oko,
Ledwo na bok się odwróci,
Już ci słonko het... wysoko!
Aż raz tata mu darował
Trąbkę tak zaczarowaną,
Co wschód słońca mu pokaże,
Gdy zatrąbi... bardzo rano.
Odtąd Jasio „Rannym Ptaszkiem"
Został po tym wynalazku
I tak sobie gra codziennie
Zaraz po słoneczka brzasku.

10

Maria Konopnicka

Jak Mańcia czyta książeczkę

Nic milszego, powiem szczerze,
Jak gdy Mańcia książkę czyta,
Na fotelu siedząc babci,
A tuż przy niej cała świta:
Z jednej strony Ańcia klęczy.
Julka stoi z drugiej strony,
A naprzeciw oba kotki,
Zakręciwszy w bok ogony.
Dalej Piotruś; czy widzicie,
Jak pocieszna to figurka?
Główka na dół, uszki w górę,
A za szyję trzyma Burka.
Przy Piotrusiu z swoją lalką
Jania sobie siedzi mała,
Bo chce, żeby jej laleczka
Też rozumu nabierała.
Nawet piłka, co zazwyczaj
W całym domu dokazuje,
Teraz sobie cicho leży
I czytania nasłuchuje.

Kotki mruczą, piesek drzemie,
Jania lalkę ściska silnie.
A książeczkę Mańcia czyta,
Wszyscy zaś słuchają pilnie.

11

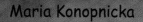

Maria Konopnicka

Żabka Helusi

Nikt mnie o tym nie przekona
I nikomu nie uwierzę,
Że ta żabka, ta zielona,
To jest szpetne, brzydkie zwierzę.

Proszę tylko patrzeć z bliska:
Sukieneczka na niej biała,
Tak w porannym słonku błyska,
Jakby w perły szyta cała.

Wierzchem płaszczyk zieloniutki,
Jak ten listek, jak ta trawa,
I zielone mają butki
Nóżka lewa, nóżka prawa.

Główkę takiż kaptur kryje,
Ciemne prążki po kapturze.
Prawda, oczy ma przyduże
I przygrubą nieco szyję.

Ale za to, jak daleko
Wypatrzy tę chmurkę małą,
Którą morze letnią spieką
Na ochłodę nam posłało!

A jak głośno, skryta w krzaki:
„Dżdżu! Dżdżu!" — woła podczas suszy.
Choć świergocą wszystkie ptaki,
Ona wszystkie je zagłuszy!

Alboż robi jakie szkody?
Psuje kwiaty? niszczy sady?
Wszak jej starczy trochę wody,
Małe muszki i owady. ▷

13

Przy tym... Nie wiem tego pewnie,
Lecz mi niania raz mówiła
O prześlicznej tej królewnie.
Co zaklęta w żabkę była.

Cudnej główki, rączek, lica
Nic nie widać, ani trocha...
Zaklęła ją czarownica,
Czarownica, zła macocha!

I w postaci tej musiała
Siedem lat czekać dziewica,
Aż ją trafi złota strzała.
Złota strzała królewica.

Dopieroż ją wypuściła
Z owej skórki jędza baba
I królową potem była
Ta zaklęta pierwej żaba.

Czy to prawda, czy tak sobie,
Tego nie wiem już na pewno.
Zawszeć boskie to stworzenie,
Chociaż nie jest i królewną!

Maria Konopnicka
Zosia i jej mopsy

Nie wiem, z jakiego przypadku
Wzięła Zosia mopsy w spadku.

Odtąd nie ma nic dla Zosi.
Tylko mopsy. To je nosi,
To je goni, to zabawia.
To je na dwóch łapkach stawia.
To przystroi oba pieski
W fontaź suty i niebieski.
To im niesie przysmak świeży;
A książeczka — w kącie leży.

Mama prosi, mama łaje...
Zosia nic... Jak tylko wstaje,
Zaraz w domu pełno pisku:
Mops umaczał nos w półmisku,
Mops Julkowi porwał grzankę,
Mops stłukł nową filiżankę,
Mops na łóżko skoczył taty,
Mops zjadł szynkę do herbaty.

Aż też mama rzekła: — basta!
I wysłała mopsy z miasta
W dużym koszu, pełnym sieczki...
— A ty, Zosiu, do książeczki!

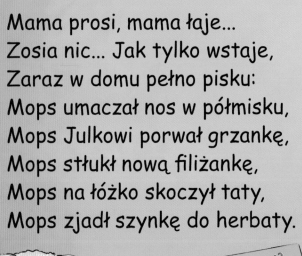

Jesienią

Maria Konopnicka

Jesienią, jesienią
Sady się rumienią;
Czerwone jabłuszka
Pomiędzy zielenią.

Czerwone jabłuszka,
Złociste gruszeczki
Świecą się jak gwiazdy
Pomiędzy listeczki.

— Pójdę ja się, pójdę
Pokłonić jabłoni,
Może mi jabłuszko
W czapeczkę uroni!

— Pójdę ja do gruszy,
Nastawię fartuszka,
Może w niego spadnie
Jaka śliczna gruszka!

Jesienią, jesienią
Sady się rumienią;
Czerwone jabłuszka
Pomiędzy zielenią.

17

Adam Mickiewicz

Lis i kozieł

Już był w ogródku, już witał się z gąską:
Kiedy skok robiąc, wpadł w beczkę wkopaną,
Gdzie wodę zbierano;
Ani pomyślić o wyskoczeniu.
Chociaż wody nie było i nawet nie grząsko:
Studnia na półczwarta łokcia,
Za wysokie progi
Na lisie nogi;
Zrąb tak gładki, że nigdzie nie wścibić paznokcia.
Postaw się teraz w tego lisa położeniu!
Inny zwierz pewno załamałby łapy
I bił się w chrapy,
Wołając gromu, ażeby go dobił:
Nasz lis takich głupstw nie robił;
Wie, że rozpaczać jest to zło przydawać do zła.
Zawsze maca wkoło zębem,
A patrzy w górę; jakoż wkrótce ujrzał kozła,
Stojącego tuż nad zrębem
I patrzącego z ciekawością w studnię.

Lis wnet spuścił pysk na dno, udając, że pije;
Cmoka mocno, głośno chłepce
I tak sam do siebie szepce:
„Oto mi woda, takiej nie piłem, jak żyję!
Smak lodu, a czysta cudnie.
Chce mi się całemu spłukać,
Ale mi ją szkoda zbrukać,
Szkoda!
Bo co też to za woda!".

Kozieł, który tam właśnie przyszedł wody szukać:
„Ej! — krzyknął z góry — Ej, ty ryży kudła,
Wara od źródła!".
I hop w dół. Lis mu na kark, a z karku na rogi,
A z rogów na zrąb i w nogi.

19

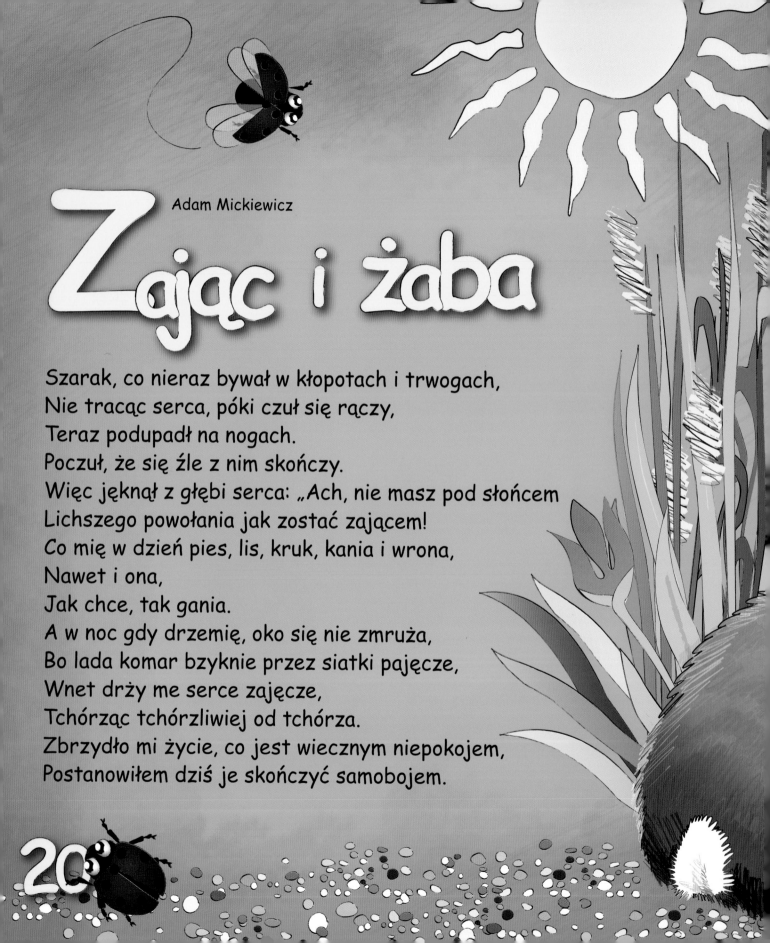

Adam Mickiewicz

Zając i żaba

Szarak, co nieraz bywał w kłopotach i trwogach,
Nie tracąc serca, póki czuł się rączy,
Teraz podupadł na nogach.
Poczuł, że się źle z nim skończy.
Więc jęknął z głębi serca: „Ach, nie masz pod słońcem
Lichszego powołania jak zostać zającem!
Co mię w dzień pies, lis, kruk, kania i wrona,
Nawet i ona,
Jak chce, tak gania.
A w noc gdy drzemię, oko się nie zmruża,
Bo lada komar bzyknie przez siatki pajęcze,
Wnet drży me serce zajęcze,
Tchórząc tchórzliwiej od tchórza.
Zbrzydło mi życie, co jest wiecznym niepokojem,
Postanowiłem dziś je skończyć samobojem.

Żegnaj więc, miedzo, lat mych wiośnianych kolebko!
Wy kochanki młodości, kapusto i rzepko,
Pożegnalnymi łzami dozwólcie się skropić!
Oznajmuję wszem wobec, że idę się topić!"
Tak z płaczem gdy do stawu zwraca skoki słabe,
Po drodze stąpił na żabę.
Ta mu, jak raca, drgnąwszy spod nóg szusła
I z góry na łeb w staw plusła.
A zając rzekł do siebie: „Niech nikt nie narzeka,
Że jest tchórzem, bo cały świat na tchórzu stoi;
Każdy ma swoją żabę, co przed nim ucieka,
I swojego zająca, którego się boi".

21

Przyjaciele

Adam Mickiewicz

Nie masz teraz prawdziwej przyjaźni na świecie;
Ostatni znam jej przykład w oszmiańskim powiecie.
Tam żył Mieszek, kum Leszka, i kum Mieszka Leszek,
Z tych, co to: gdzie ty, tam ja — co moje, to twoje.
Mówiono o nich, że gdy znaleźli orzeszek,
Ziarnko dzielili na dwoje; słowem, tacy przyjaciele,
Jakich i wtenczas liczono niewiele.
Rzekłbyś: dwój duch w jednym ciele.

O tej swojej przyjaźni raz w cieniu dąbrowy
Kiedy gadali, łącząc swoje czułe mowy
Do kukań zozul i krakań gawronich,
Alić ryknęło raptem coś koło nich.
Leszek na dąb: nuż po pniu skakać jak dzięciołek.
Mieszek tej sztuki nie umie,
Tylko wyciąga z dołu ręce: „Kumie!"
Kum już wylazł na wierzchołek.

2

Ledwie Mieszkowi był czas zmrużyć oczy,
Zbladnąć, paść na twarz: a już niedźwiedź kroczy.
Trafia na ciało, maca: jak trup leży;
Wącha: a z tego zapachu, który mógł być skutkiem strachu,
Wnosi, że to nieboszczyk i że już nieświeży.
Więc mruknąwszy ze wzgardą odwraca się w knieje,
Bo niedźwiedź Litwin miąs nieświeżych nie je.

Dopieroż Mieszek odżył... „Było z tobą krucho! —
Woła kum. — Szczęście, Mieszku, że cię nie zadrapał!
Ale co on tak długo tam nad tobą sapał,
Jak gdyby coś miał powiadać na ucho?".
„Powiedział mi — rzekł Mieszek — przysłowie niedźwiedzie:
Że prawdziwych przyjaciół poznajemy w biedzie".

23

Dziad i baba

Józef Ignacy Kraszewski

Był sobie dziad i baba,
Bardzo starzy oboje,
Ona — kaszląca, słaba,
On — skurczony we dwoje.

Mieli chatkę maleńką,
Taką starą jak oni,
Jedno miała okienko
I jeden był wchód do niej.

Żyli bardzo szczęśliwie
I spokojnie jak w niebie,
Czemu ja się nie dziwię,
Bo przywykli do siebie.

Tylko smutno im było,
Że umierać musieli,
Że się kiedyś mogiłą
Długie życie rozdzieli.

I modlili się szczerze,
Aby bożym rozkazem
Kiedy śmierć ich zabierze —
Brała oboje razem. ▶

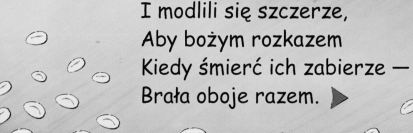

— Razem!... To być nie może,
Ktoś choć chwilę wprzód skona.
— Byle nie ty, nieboże!
— Byle tylko nie ona!

— Wprzód umrę! — woła baba —
Jestem starsza od ciebie,
Co chwila bardziej słaba,
Zapłaczesz na pogrzebie.

— Ja wprzódy, moja miła;
Ja kaszlę bez ustanku.
I zimna mnie mogiła
Przykryje lada ranku.

— Mnie wprzódy! — Mnie, kochanie!
— Mnie mówię! — Dość już tego!
Dla ciebie płacz zostanie.
— A tobie nic?... Dlaczego?

I tak dalej, i dalej,
Jak zaczęli się kłócić,
Jak się z miejsca porwali,
Chatkę chcieli porzucić.

— Idź, babo, drzwi otworzyć!
— Ot, to, idź sam, ja słaba,
Ja pójdę się położyć —
Odpowiedziała baba.

Fi, śmierć na słocie stoi
I czeka tam nieboga!
— Idź, otwórz z łaski swojej.
— Ty otwórz, moja droga.

Baba za piecem z cicha,
Kryjówki sobie szuka,
Dziad pod ławę się wpycha...
A śmierć stoi i puka.

Aż do drzwi — puk, puk, powoli:
— Kto tam? — Otwórzcie, proszę.
Posłuszna waszej woli,
Śmierć jestem, skon przynoszę.

I byłaby lat dwieście
Pode drzwiami tam stała,
Lecz, znudzona nareszcie,
Kominem wejść musiała.

Władysław Bełza

Katechizm polskiego dziecka

— Kto ty jesteś?
— Polak mały.
— Jaki znak twój?
— Orzeł biały.
— Gdzie ty mieszkasz?
— Między swemi.
— W jakim kraju?
— W polskiej ziemi.
— Czem ta ziemia?
— Mą Ojczyzną.
— Czem zdobyta?
— Krwią i blizną.

— Czy ją kochasz?
— Kocham szczerze.
— A w co wierzysz?
— W Polskę wierzę.
— Coś ty dla niej?
— Wdzięczne dziecię.
— Coś jej winien?
— Oddać życie.

28

Obraz leniuszka

Władysław Bełza

W głowie same wróbelki,
Niby w pustej stodole;
Oj, leniuszek to wielki,
Nie chce uczyć się w szkole.

Nad książeczką wciąż drzemie,
Albo chodzi ponury;
Oczka spuszcza na ziemię,
Wstyd mu spojrzeć do góry!

Kiedy innych koleją,
Za wzór dają mu wszędzie;
Z niego wszyscy się śmieją,
Że nic z niego nie będzie.

A on w kącie, jak kołek,
Stoi niemy, strwożony:
Aż się z niego osiołek,
Stanie kiedyś skończony!

Władysław Bełza

O Janku nieuku

Był sobie chłopczyk, imieniem Janek,
Na pozór skromny niby baranek,
Ale w istocie wisus jak mało,
Któremu nic się uczyć nie chciało.

Nieraz go ojciec szuka na ganku,
Biega i woła: — Do książki, Janku!
A on się kryje i myśli sobie:
„Nie dziś, to jutro lekcje odrobię!"

JĘZYK POLSKI

Za to do łyżki, za to do miski,
Biegł, aż na nogach miewał odciski,
Lecz do nauki, (skaranie Boże),
Prośba i groźba nic nie pomoże!

Martwił się ojciec, martwiła matka,
Zwłaszcza, jednego mając gagatka,
I nieraz sobie w kącie wzdychali:
Co też to z niego wyrośnie dalej?

A Janek jedno powtarzał wkoło:
— Dziś się pobawię jeszcze wesoło,
Czas taki piękny, pogodę wróży,
Zresztą przede mną leży rok duży!

I tak przemknęły nad głową Jana,
Palące lato, jesień rumiana,
Przemknął do nauk wiek młody, świetny,
Aż wyrósł z Janka — dudek kompletny!

O! Drogie dzieci! na każdym kroku,
Los tego Janka miejcie na oku;
Rok nie tak długi, jak wy sądzicie,
A z drobnych chwilek składa się życie!

Małpka

Władysław Bełza

Jaś miał małpkę. Wiecie o tem,
Że pocieszne to stworzenie,
Z wielkim sprytem, chwyta lotem,
Każdy ruch, gest i spojrzenie.
Od samego przeto ranka,
W domu pełno wrzawy, stuku;
Małpka wciąż przedrzeźnia Janka,
A on śmiał się do rozpuku.
Lecz się wkrótce Janek mały,
Jej figlami znudził trochę,
I sam w odwrót przez dzień cały,
Jął przedrzeźniać swą pieszczochę.
— Że cię małpka naśladuje —
Rzekł ktoś — no, bo głupie zwierzę;
Lecz czyż wstydu Jaś nie czuje,
Że z głuptaska przykład bierze?